习近平在亚太经合组织第二十八次领导人非正式会议上的讲话

人民出版社

图书在版编目(CIP)数据

习近平在亚太经合组织第二十八次领导人非正式会议上的讲话/习近平 著. —北京:人民出版社,2021. 11

ISBN 978 - 7 - 01 - 024334 - 4

Ⅰ.①习… Ⅱ.①习… Ⅲ.①习近平-讲话②亚太地区-经济合作-学习参考资料 Ⅳ.①D2 - 0②F116

中国版本图书馆 CIP 数据核字(2021)第 243675 号

(RMC - ZJDXI - 119 - 20211111)

习近平在亚太经合组织第二十八次领导人非正式会议上的讲话

XI JINPING ZAI YATAI JINGHE ZUZHI DI ERSHIBA CI
LINGDAOREN FEI ZHENGSHI HUIYI SHANG DE JIANGHUA

(2021 年 11 月 11 日)

习　近　平

人民出版社 出版发行
(100706　北京市东城区隆福寺街 99 号)

北京新华印刷有限公司印刷　新华书店经销

2021 年 11 月第 1 版　2021 年 11 月北京第 1 次印刷
开本:880 毫米×1230 毫米 1/32　印张:0. 5
字数:8 千字

ISBN 978 - 7 - 01 - 024334 - 4　定价:2. 00 元

邮购地址 100706　北京市东城区隆福寺街 99 号
人民东方图书销售中心　电话 (010)65250042　65289539

目　　录

坚持可持续发展
共建亚太命运共同体

——在亚太经合组织工商领导人峰会上的主旨演讲

（2021年11月11日）

中华人民共和国主席　习近平

各位工商界朋友，

女士们，先生们，朋友们：

很高兴再次同大家见面。当前，新冠肺炎疫情仍在全球蔓延，世界经济复苏艰难曲折。亚太地区一直是世界经济的重要增长极，并率先在本次危机中呈现复苏势头。值此历史关头，亚太地区应该勇担时代责任，发挥引领作用，坚定朝着构建亚太命运共同体目标迈进。

第一，全力抗击疫情。早日走出疫情阴影、实现经济稳定复苏，是亚太地区面临的最紧迫的任务。越是困难时刻，越要坚定信心，越要沉着勇毅。几十年来，亚太地区在应对危机中获得进步、在战胜挑战中走向辉煌。面对这场事关人类前途命运的世纪考验，亚太各经济体和社会各界要坚持人民至上、生命至上，弘扬科学精神，团结一心、守望相助，努力赢得抗击疫情的彻底胜利。

我们要支持彼此抗疫努力，在检测手段、治疗药物以及疫苗研发、生产、互认等领域加强合作，切实形成抗疫合力。要把疫苗作为全球公共产品的共识落到实处，促进其公平合理分配，确保在发展中国家的可及性和可负担性，共同弥合“免疫鸿沟”。

第二，坚持开放合作。开放是人类社会繁荣进步的必由之路。30 多年来，从《茂物目标》到《布特拉加亚愿景》，从宏观经济政策协调到高标准自由贸易区建设，亚太地区保持较长时期快速发展。归根结底，这得益于打造开放型经济格局的努力，得益于构筑互信、包容、合作、共赢的亚太伙伴关系。

无论世界形势如何演变，亚太经济韧性好、动力强的优势不会改变。各方要敞开胸怀，把握大势，积极主动扩大开放，推进贸易和投资自由化便利化，维护产业链供应链稳定顺畅，促进资源要素有序流动，推动经济复苏,实现联动发展。要坚持向前看、朝前走,反对歧视性、排他性做法。以意识形态划线、搞地缘政治小圈子,终究是没有前途的。亚太地区不能也不应该回到冷战时期的对立和割裂状态。

第三,推进绿色转型。良好生态环境是最基本的公共产品和最普惠的民生福祉。亚太地区要把绿色作为疫后复苏的底色,努力做科学应对气候变化的领航者。要坚持共同但有区别的责任原则,落实好应对气候变化《巴黎协定》和《生物多样性公约》第十五次缔约方大会成果。发达经济体要秉持共同体意识,为发展中经济体提供资金和技术支持,帮助他们提高环境治理能力,共同走绿色、低碳、可持续发展道路。

绿色低碳转型是系统性工程,必须统筹兼顾、整体推进。亚太地区目前仍有 1 亿多赤贫人口,部分经济体在基础设施建设、教育医疗等领域面临缺口,粮食安全、能源保障等方面依然脆弱。没有发展,就不能聚集起绿色转型的经济力量;忽视民生,就会失去绿色转型的社会依托。我们要准确理解可持续发展理念,坚持以人民为中心,协调好经济增长、民生保障、节能减排,在经济发展中促进绿色转型、在绿色转型中实现更大发展。

第四，积极推进创新。创新是推动人类社会进步的重要力量。我经常说，一个国家、一个地区不创新不行，创新慢了也不行。亚太地区具有独特智力资源和深厚创新传统，孕育了许多新技术、新产业、新机制，一直是全球创新发展领头羊。当前，新一轮科技革命和产业变革深入发展，信息技术、生物技术、制造技术方兴未艾，为促进经济增长，应对重大疫病、气候变化、自然灾害等挑战提供了保障。

我们要加速科技创新和制度创新，推动科技成果转化，培育经济发展新动能，使创新成为统筹经济发展和绿色转型的有力支撑。要加强亚太成员科技创新协作，为科技发展打造开放、公平、公正、非歧视的环境。工商界处于科技创新前沿，要努力成为研发投入、成果转化的主力军。

女士们、先生们、朋友们！

长期以来，中国经济发展一直同亚太区域合作进程相融相伴。中国已经如期实现全面建成小康社会目标，历史性解决了绝对贫困问题，开启了全面建设社会主义现代化国家新征程。这将为亚太地区带来更大机遇。

——中国将坚定不移推进改革开放，为亚太经济发展提供助力。中国致力于推进高标准市场体系建设，推动重要领域和关键环节改革取得新进展。中国将打造高水平、制度型对外开放格局，持续优化营商环境，鼓励自由贸易试验区创新发展。中国已批准《区域全面经济伙伴关系协定》，并申请加入《全面与进步跨太平洋伙伴关系协定》，将在履约和谈判进程中继续压减外资准入负面清单，推动农业和制造业全方位开放，加大服务业开放力度，依法给予内外资企业同等待遇。

“正其末者端其本，善其后者慎其先。”最近一段时间，中国有关部门正完善落实反垄断法规，加强对国内部分行业监管。这既是推动中国市场经济健康发展的需要，也是世界各国惯常做法。我们将毫不动摇巩固和发展公有制经济，毫不动摇鼓励、支持、引导非公有制经济发展，平等对待各类市场主体，打造统一开放、竞争有序的市场体系，不断夯实中国经济长远发展根基，并为亚太及全球工商界来华投资兴业提供更好保障。

——中国将推进全面绿色转型，为亚太及全球生态文明建设作出贡献。我曾在中国黄土高原的一个小村庄生活多年，当时那里的生态环境受到破坏，百姓生活也陷于贫困。我那时就认识到，对自然的伤害最终会伤及人类自己。中国将积极推进生态文明建设，坚持绿水青山就是金山银山，深化水土流失综合治理，打好污染防治攻坚战。中国将坚定实施应对气候变化国家战略。去年我提出碳达峰目标及碳中和愿景以来，中国已经制定《2030 年前碳达峰行动方案》，加速构建“1+N”政策体系。“1”是中国实现碳达峰、碳中和的指导思想和顶层设计，“N”是重点领域和行业实施方案，包括能源绿色转型行动、工业领域碳达峰行动、交通运输绿色低碳行动、循环经济降碳行动等。中国将统筹低碳转型和民生需要，处理好发展同减排关系，如期实现碳达峰、碳中和目标。

中国减排行动是一场深刻的经济社会变革。尽管任务极其艰巨，我们将驰而不息，为全球绿色转型作出贡献。中国减排行动也将带动规模庞大的投资，创造巨大市场机遇和合作空间。我们欢迎亚太工商界积极参与，共创绿色发展未来。

——中国将致力于促进合作共赢，为亚太经济发展添砖加瓦。中国一直积极融入亚太区域合作，始终是亚太开放合作的推动者。中国将坚持真正的多边主义，维护以世界贸易组织为核心的多边贸易体制，积极参与全球经济治理，推动建设开放型世界经济。中国将坚定推进高质量共建“一带一路”，促进亚太互联互通，维护区域产业链供应链稳定顺畅，深化同各方在电子商务、数字物流等领域合作，为亚太经济复苏和可持续发展注入动力。

我在今年联合国大会上提出全球发展倡议，呼吁关注发展中国家发展需求，保障他们的发展空间，实现更加强劲、绿色、健康的全球发展。中国愿继续发挥负责任大国作用，推动加强全球减贫、粮食安全、发展筹资等领域合作，落实联合国 2030 年可持续发展议程，构建全球发展命运共同体。

女士们、先生们、朋友们！

长期以来，广大工商界朋友是中国发展的亲历者、参与者，希望大家继续关心和支持中国发展，在合作中实现共赢，做亚太大家庭团结和繁荣的促进者、贡献者。

谢谢大家。

共同开创亚太经济合作新篇章

——在亚太经合组织第二十八次
领导人非正式会议上的讲话

（2021 年 11 月 12 日）

中华人民共和国主席　习近平

尊敬的阿德恩总理，

各位同事：

很高兴同大家见面。首先，我感谢阿德恩总理和新西兰政府为本次会议作出的努力。本次会议以“推动疫后经济复苏，实现亚太人民和子孙后代的共同繁荣”为主题，具有十分重要的意义。

今年是中国加入亚太经合组织 30 周年。这 30 年，是中国深化改革、扩大开放的 30 年，也是亚太经济合作不断扩展的 30 年。亚太成为全球最具增长活力和发展潜力的地区，始终位于世界经济发展前沿，为世界经济增长和地区人民福祉作出了积极贡献。

去年，我们在初步实现茂物目标基础上，通过了2040年布特拉加亚愿景，重申造福亚太人民的初心，提出建成开放、活力、强韧、和平的亚太共同体目标。今年，我们共同制定了愿景落实计划。我们要推进落实2040年愿景，构建开放包容、创新增长、互联互通、合作共赢的亚太命运共同体。重点要做好以下几件事。

第一，推动抗疫合作和经济复苏。当前，新冠肺炎疫情形势依然严峻，世界经济在脆弱中艰难复苏。早日战胜疫情、恢复经济增长，是当前亚太各成员最重要的任务。要科学应对疫情，深化国际合作，促进疫苗研发、生产、公平分配，确保疫苗在发展中国家的可及性和可负担性，弥合"免疫鸿沟"。中国宣布全年将努力对外提供20亿剂疫苗，迄今已提供超过17亿剂，包括向110多个国家提供无偿捐赠。不久前，我在二十国集团领导人第十六次峰会上代表中国提出了全球疫苗合作行动倡议。中国已明确未来3年内提供30亿美元，用于支持发展中国家抗疫和恢复经济社会发展。中国欢迎亚太经合组织促进关键物资流通和人员安全往来倡议，将继续向"应对疫情和经济复苏"子基金提供支持，助力各成员恢复和发展经济。

第二，构建开放型亚太经济。开放是亚太合作的生命线。要坚持开放的地区主义，以 2040 年愿景为指引，推进区域经济一体化，早日建成高水平亚太自由贸易区。要践行真正的多边主义，坚持对话而不对抗、包容而不排他、融合而不脱钩，坚定维护以世界贸易组织为核心的多边贸易体制。中国支持落实亚太经合组织《强化结构性改革议程》和《服务业竞争力路线图》。我们期待《区域全面经济伙伴关系协定》明年如期生效，已申请加入《全面与进步跨太平洋伙伴关系协定》。

第三，促进创新增长和数字经济发展。创新是引领世界发展的重要动力。要坚持创新驱动大方向，点燃数字经济新引擎，让数字技术的成果惠及更多亚太地区人民。要全面平衡落实亚太经合组织《互联网和数字经济路线图》，为创新和生产力发展构建开放、公平、公正、非歧视的环境。要加强数字基础设施建设，加快数字转型，努力弥合“数字鸿沟”，推动数字经济全面发展。中国提出促进数字时代互联互通倡议，支持加强数字经济国际合作，已申请加入《数字经济伙伴关系协定》。

第四，实现包容可持续发展。要坚持人与自然和谐共生，积极应对气候变化，促进绿色低碳转型，努力构建地球生命共同体。中国将力争2030年前实现碳达峰、2060年前实现碳中和，支持发展中国家发展绿色低碳能源。中国愿同有关各国一道，推进高质量共建“一带一路”。要全面落实联合国2030年可持续发展议程，让发展成果更多更公平惠及各国人民。今年9月，我在联合国大会上提出全球发展倡议，旨在推动全球发展迈向平衡协调包容新阶段，对推动亚太地区可持续发展具有重要意义。经济技术合作是亚太经合组织重要合作领域，应该加大投入力度，确保发展中成员从中受益，为亚太地区发展繁荣持续注入新动力。

各位同事！

今年是中国共产党成立100周年。让14亿多中国人民过上更加美好的生活、促进人类和平与发展，是中国共产党矢志不渝的奋斗目标。当前，中国已经开启全面建设社会主义现代化国家新征程。中国将坚定不移扩大对外开放，同世界和亚太各成员分享中国发展机遇。

新西兰有一句毛利谚语：“成功从不是凭借个

人，而是依靠集体。”中方愿同亚太各成员一道，积极推动构建亚太命运共同体，携手开创亚太经济合作新篇章。

谢谢大家。